딱지치기

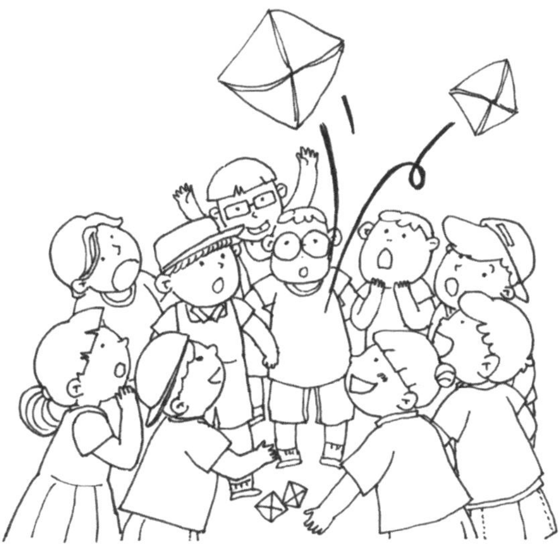

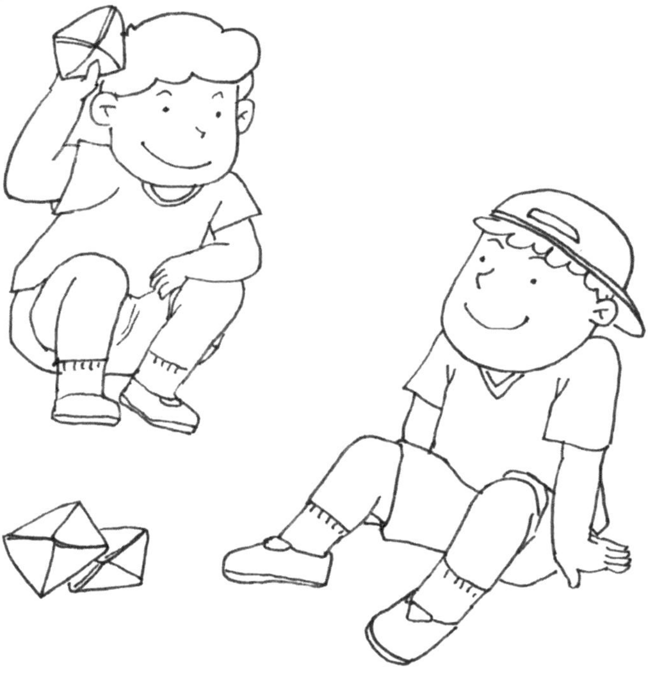

두 아이가
딱지치기를 해요.

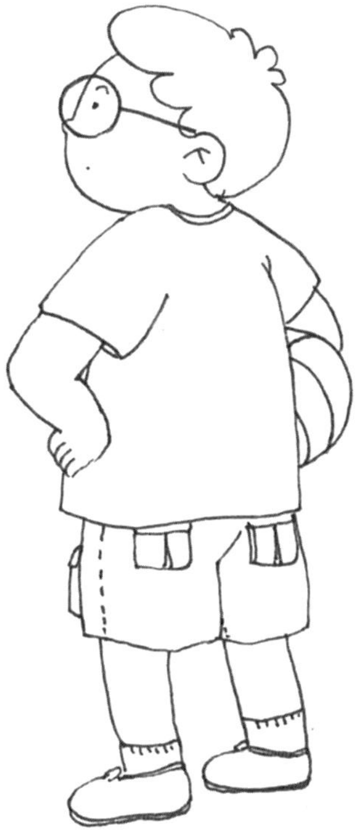

한 아이가 서서
쳐다보아요.

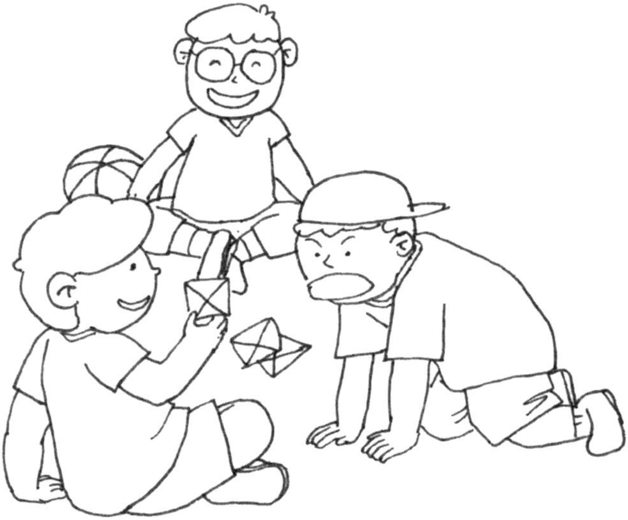

세 아이가
딱지치기를 해요.

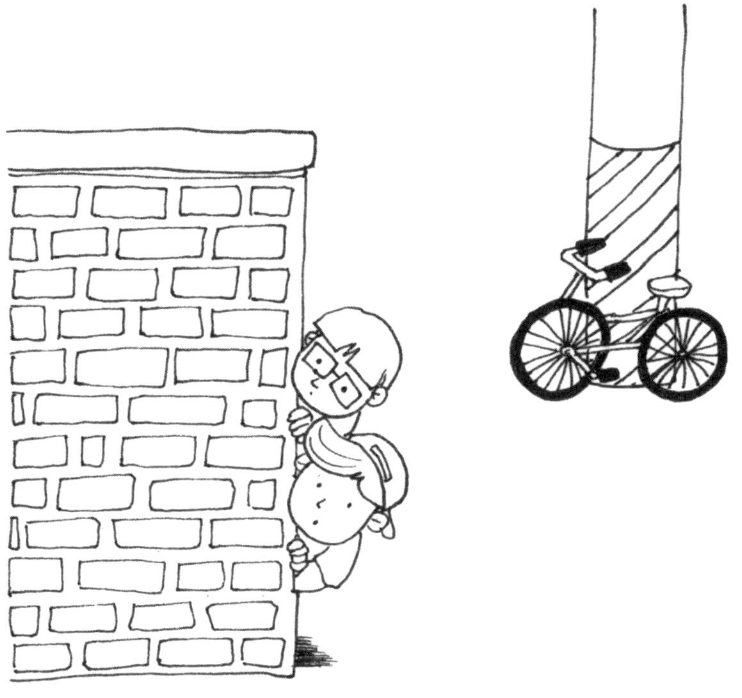

두 아이가 조용히
쳐다보아요.

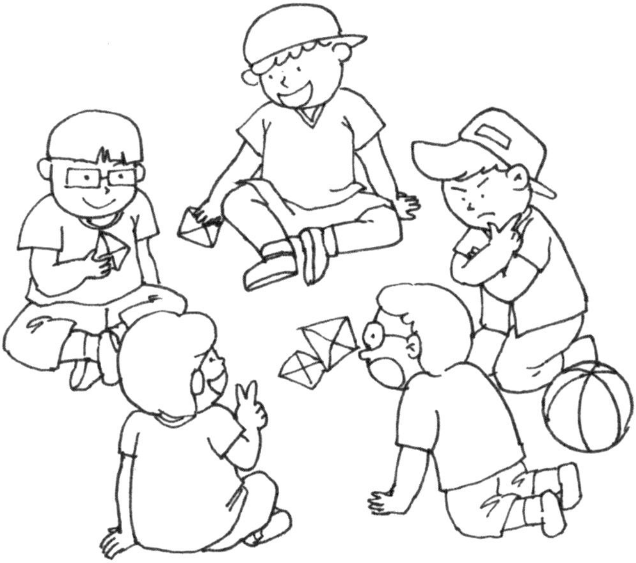

다섯 아이가
딱지치기를 해요.

어느덧
열 명이에요.

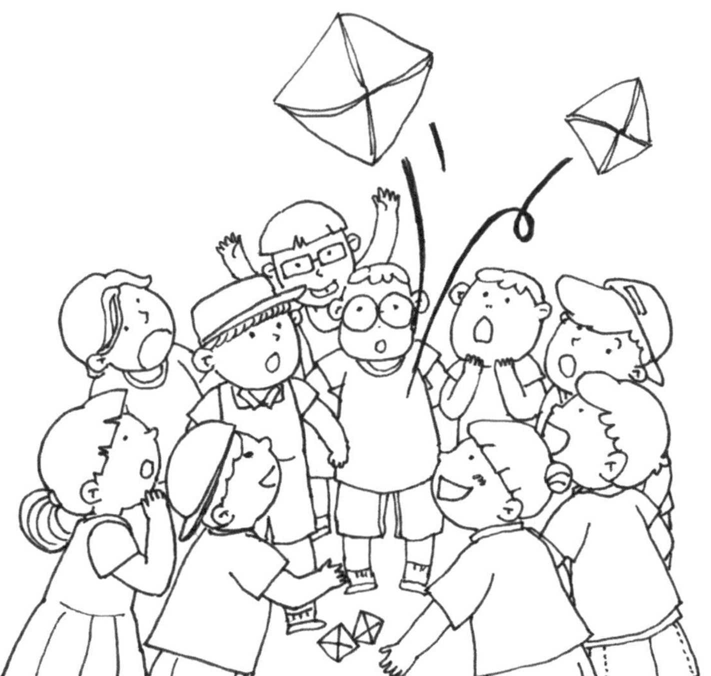

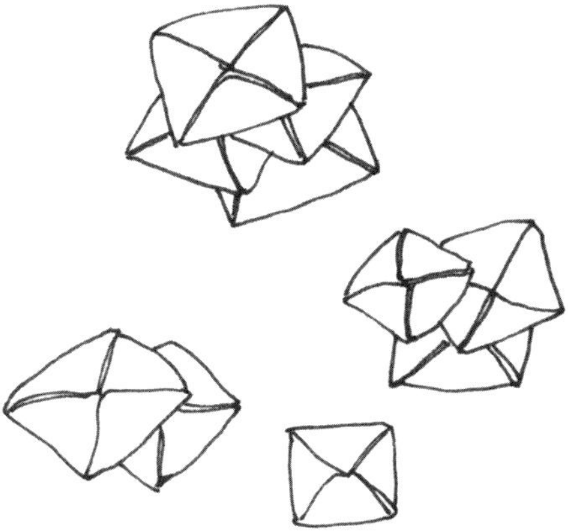

딱지는
모두 몇 개이지요?